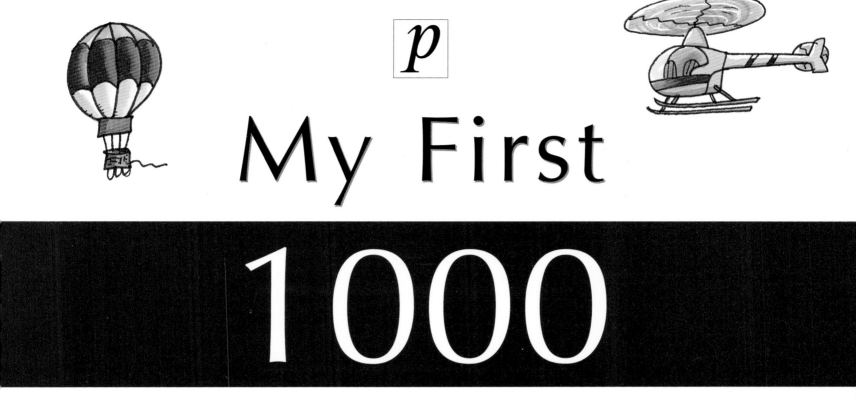

p My First 1000 Words in

SPANISH

This book belongs to:

....

....

Illustrated by Jan Lewis

English language consultant: Betty Root
Spanish language consultant: Kate Naylor

This is a Parragon Publishing book
First published in 2004

Parragon Publishing
Queen Street House
4 Queen Street
Bath BA1 1HE, UK

ISBN 1-40543-551-8

Printed in India

Contents

About this book

My First 1000 Words in Spanish is the perfect introduction to learning Spanish. In this book you will find over 1000 Spanish words, each with its own picture. The large, central pictures of everyday scenes include all the pictures in the surrounding border. It's fun to find objects in the big pictures and see if you can remember their Spanish name.

At the back of the book you will find four pages of useful phrases in Spanish. On these pages you can find out how to say hello to people in Spanish, how to ask a person's name or age, how to say what you do and don't like, how to talk about your favorite hobbies, and so on.

You will also find an English–Spanish word list that lists, in alphabetical order, all the words illustrated in this book. For each English word you will find its Spanish translation, as well as an easy-to-read pronunciation.

Learning Spanish

About el, la, los, and las

- Every noun in Spanish begins with the word **el**, **la**, **los**, or **las**, which means "the."
- Words that begin with **el** are masculine—for example **el conejo**, which means "rabbit."
- Words that begin with **la** are feminine—for example **la puerta**, which means "door."
- Words in the plural have **los** in front if they are masculine—for example **los deportes**, which means "sports."
- Words in the plural have **las** in front if they are feminine—for example **las papas**, which means "potatoes."
- All Spanish nouns should be learned with their correct "the" word.

About pronunciation

- In Spanish many letters are pronounced in a different way from the way we say them in English. The best way of learning to speak Spanish is to listen to Spanish people when they talk, and to try and copy the way they say words.

- In Spanish, there is an extra letter—**ñ**. It is pronounced like the "nio" of the English word "onion"—for example **el niño** (boy).

- The letter **a** is pronounced like the "a" of the English word "cat"—for example **la cama** (bed) and **la lata** (can).

- The letter **i** is pronounced like the "ee" of the English word "bee"—for example **el río** (river) and **mirar** (to look).

- The letter **u** is pronounced like the "oo" of the English word "spoon"—for example **uno** (one) and **la nube** (cloud).

- The letters **b** and **v** are both pronounced like the "b" of the English word "boat"—for example **la bota** (boot) and **veinte** (twenty).

- When it appears before an "e" or an "i," the letter **c** is pronounced like the "s" of the English word "seat"—for example **cinco** (five) and **el cepillo** (brush); when it appears before other letters, the letter **c** is pronounced like the "c" of the English word "car"—for example **la casa** (house) and **cuatro** (four).

- You do not pronounce the letter **h**—for example **el helado** (ice cream) is pronounced [eh-lah-thoh].

- The letters **ll** are pronounced like the "y" of the English word "year"—for example **la llave** (key) and **la calle** (street).

- The letters **qu** are pronounced like the "k" of the English word "kite"—for example **el queso** (cheese) and **el parque** (park).

- Above some Spanish words you will see a special sign, called a stress mark. These marks usually appear over the letters a, e, i, o, and u. When you say a word, you stress (say louder) the part of the word with the stress mark.

- Here are some examples of Spanish words with accents:
  el árbol (tree)   **miércoles** (Wednesday)
  la tía (aunt)   **el león** (lion)

los dedos del pie

la mano

la rodilla

el codo

la barriga

el hombro

la uña

las caderas

el tobillo

el pecho

la cintura

el brazo

la espalda

el pulgar

la pierna

el dedo

el pie

el trasero

el talón

la cabeza

la oreja

el ojo

los dientes

la frente

la lengua

la boca

la nariz

el pelo

la barbilla

la mejilla

el cuello

Mi familia

el padre

la hermana

el hermano

la madre

la abuela

el abuelo

la prima

el tío

la tía

el sillón

el jarrón

el estante

el disco compacto

el televisor

el cuadro

el paraguas

el espejo

el equipo
de música

el mecedor

la puerta

el teléfono

la llave

la radio

la lámpara

el radiador

los libros

la bombilla

las flores

el sofá

el armario

el reloj

la luz

la alfombrilla

el diario

el vídeo

el interruptor

la fotografía

la ventana

el adorno

el almohadón

el escabel

el picaporte

la estantería

el teléfono móvil

la alfombra

el candelabro

las cortinas

las revistas

La ropa

los pantalones

la camisa

el gorro

la camiseta de manga corta

el cinturón

los guantes

el saco

los calzoncillos

la camiseta

los zapatos

los vaqueros

el impermeable

la chaqueta

la pollera

las medias

la gorra

las sandalias

el vestido

el pulóver

el chaleco

la bufanda

los leotardos

el abrigo

las zapatillas de deporte

los pantalones cortos

la malla

Los alimentos

el desayuno

el almuerzo

la cena

la sal

la pimienta

la hamburguesa

la tostada

la galleta

la lechuga

la ensalada

la limonada

los panqueques

los cereales

el bistec

el jamón

el té

la mermelada

el pan

la miel

el café

las papas fritas

la sopa

el azúcar

los guisantes

los espaguetis

11

el platillo

el delantal

la lavadora

la mesa

la olla

el taburete

la tabla
de planchar

la batidora

el recogedor

la escoba

la plancha

la jarra

el lavaplatos

el vaso

el cuchillo

el guante para
el horno

la cocina

la silla

el tenedor

12

la tostadora

el papel de cocina

el calendario

el fregadero

la cuchara

la taza

la huevera

el plato

la silla alta

la tetera

el tazón

la pava

la nevera

el cepillo

la sartén

la aspiradora

la balanza

el trapo

el enchufe

el rodillo

la mariposa

el gusano

el sendero

el galpón

la mariquita

la manguera

la cortadora de pasto

la mesita para los pájaros

el arbusto

la pala

la horca

el nido

el rastrillo

la azada

el árbol

la regadera

las hojas

la abeja

el caracol

el pasto

la avispa

el tendedero

las semillas

el columpio

el perro

la hamaca

la correa

el desplantador

el seto

el techo

la hoguera

el invernadero

el humo

la paloma

la carretilla

el aspersor

la oruga

la caseta del perro

el hueso

las nueces

la piscina para niños

la barbacoa

el coche

la bicicleta

la tienda

el tarro de basura

el cono

la escalera de mano

el parquímetro

la vereda

el hombre

la ambulancia

el taladro

el puesto

el banco

el cartero

la cafetería

el tarro de basura

el surtidor de gasolina

el camión

la bolsa

la furgoneta

la farola

el agente de policía

el autobús

la motocicleta

el estación
de servicio

la mujer

la basura

el bombero

la parada
de autobús

el taxi

la escalera

las tuberías

el coche de policía

el cochecito

el desagüe

la excavadora

la cabina
telefónica

el coche de bomberos

el carrito

la mermelada

la leche

las latas

la pera

los pimientos

las setas

el ketchup

la manteca

la cartera

el arroz

las naranjas

el recibo

las manzanas

las salchichas

el choclo

el jugo de frutas

las legumbres

los huevos

la banana

las papas

las zanahorias

el queso

la ciruela

los tomates

las botellas

la tarjeta de crédito

el cesto

la lista

las frutillas

las cerezas

la cebolla

la sandía

la piña

el monedero

el pollo

la carne

el pepino

la caja

la pasta

el dinero

los limones

las uvas

19

la varita mágica

el osito
de peluche

el triciclo

el velero

los patines

el sonajero

el bate

la guitarra

la muñeca

los cubos

la máscara

el coche
de carreras

la casa de
muñecas

la cuerda
de saltar

el fuerte

el tambor

los bolos

los dados

la caja sorpresa

el caballito de balancín

la marioneta

la flecha

las canicas

las pinturas

el cohete

el rompecabezas

el juego de herramientas

el astronauta

la pelota

la caja

el dinosaurio

el soldado

el robot

el casco

el arco

las cartas

el patinete

el alfabeto

la papelera

el pegamento

el computadora

la impresora

los rotuladores

el acuario

las tijeras

la pizarra

el xilófono

el cuaderno

la fiambrera

el afiche

el ratón

el piano

los lápices
de colores

la flauta

el pincel

el hámster

la jaula

el dibujo

el caballete

el violín

el bote de pintura

la pizarra blanca

la profesora

el globo terráqueo

el mapa

la regla

la pinza

el escritorio

el papel

el teclado

la plastilina

el pez

la flauta dulce

las tizas

las plantas

las chinches

el lápiz

la goma de borrar

la trompeta

23

el piragüismo

el parapente

el footing

el salto de altura

el squash

el surf

la vela

el salto de longitud

la natación

el levantamiento de pesas

el hockey

el esquí acuático

el salto de trampolín

el boxeo

la equitación

el hockey sobre hielo

el fútbol

el snow boarding

el fútbol

el tenis

el remo

el rugby

el baloncesto

el béisbol

el patinaje sobre hielo

la gimnasia

las carreras de karts

el ping-pong

el windsurf

el bádminton

el tiro con arco

el críquet

el karate

el baloncesto femenina

el ciclismo

el esquí

la cuerda

el remo

los sandwiches

el tablón de
anuncios

el tobogán

la ramita

la fuente

la mesa
de picnic

la caja
de arena

la codera

la piruleta

los pájaros

la calesita

el parterre

la niña

la rodillera

el estanque

la estructura
para trepar

los niños

la rana

la cometa

la libélula

los renacuajos

la rama

el puesto de helados

la barca

el niño

el guardián del parque

los patitos

el conejo

el subibaja

la verja

el monopatín

la jarra

el helado

el cisne

el picnic

el gorro
de fiesta

las papas
fritas

la cinta
adhesiva

la pajita

la tarjeta
de cumpleaños

la corbata
de moño

la ensalada
de frutas

el vaquero

las pinturas
para la cara

la capa

las cabritas

la sirena

la película

el regalo

la cadeneta
de papel

el caramelo

el vestido
de fiesta

la bolsa
de regalo

las velas

la videocámara

La fiesta de cumpleaños

la cámara

el globo

el pirata

el collar

la torta

la caja
de fósforos

el mago

los bollos
de pan

la cinta

el vaso
de papel

la servilleta

el chocolate

el mantel

el papel
de regalo

la pancarta

la pizza

el casete

el fósforo

el sombrero
de copa

el paciente

el enyesado

el bastón

el móvil

la silla de ruedas

el monitor

las muletas

la venda

los juguetes

el cómic

la bandeja

la sangre

el enfermero

los auriculares

el frutero

la radiografía

las pinzas

la manta

el botiquín

el andador

el termómetro

el ascensor

el cabestrillo

la médica

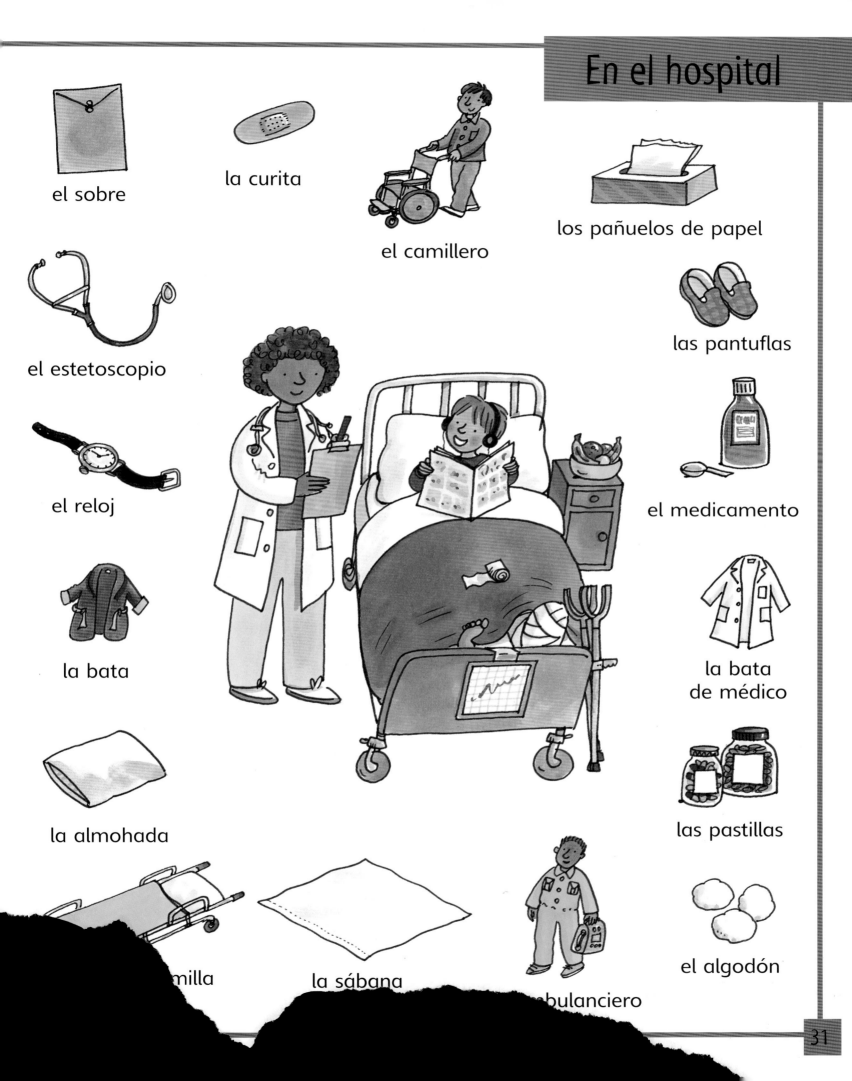

el sobre

la curita

el camillero

los pañuelos de papel

el estetoscopio

las pantuflas

el reloj

el medicamento

la bata

la bata
de médico

la almohada

las pastillas

...milla

la sábana

...bulanciero

el algodón

el auxiliar de vuelo

la torre de control

la valija

la pila

el portaequipajes

la etiqueta

la boletería

el baúl

los faros

el avión

los boletos

el kiosco

la controladora de boletos

el andén

la ciudad

el silbato

los carriles

el capó

el m

el jumbo

el pasaporte

el maletín

la grúa

el helicóptero

el globo de aire caliente

el ala

la mochila

la estación de tren

la aeronave

la rueda

el tren

la bandera

la escalera mecánica

la montaña rusa

el laberinto

el videojuego

el algodón de azúcar

los autos de choque

el perrito caliente

la

la rueda gigante

los dónuts

el circo

la esterilla

la ca

la balsa

el tobogán de agua

el restaurante

el fuego artificial

la equilibrista

el castillo

el acróbata

el castillo inflable

el maestro de ceremonias

el carrusel

el tobogán

la piscina

el tren fantasma

la sala de cine

el payaso

el disfraz

la banda

el trampolín

el museo

la cama elástica

las burbujas

los bolos

la malabarista

el pescador

el zorro

la hoguera

la roca

la carpa

la bolsa de dormir

las moras

el remolque

la catarata

el sapo

la carretera

la garza real

la colina

la iglesia

la esclusa

el caballo

el leñador

la nube

el cielo

el lago

36

El campo

el túnel

la liebre

el molino de viento

el río

los troncos

la caña de pescar

el alambre de púas

el hacha

la lechuza

la polilla

el puente

el bosque

la caravana

la barcaza

el canal

la cabaña de madera

el campista

la montaña

la ternera

el barril

la cosechadora

el burro

los patos

el cordero

el campo

la oveja

la cabra

la gallina

el perro pastor

la pocilga

el tractor

la tierra

el granjero

los gatitos

las botas

el granero

el arado

el pavo

el camión cisterna

38

En la granja

el cabrito

la casa de hacienda

el saco

el potro

el espantapájaros

los pollitos

el abrevadero

el manzanal

el toro

el muro

el chancho

la silla de montar

los chanchitos

la vaca

la cuadra

el trigo

el gato

la paja

el balde

el gallo

el gallinero

el ganso

el heno

el castillo de arena

los flotadores

el bote

el transbordador

los caracoles

la arena

el flotador

la ola

la canoa

la isla

las aletas

la cuerda

la medusa

los guijarros

la red

el socorrista

la vela

el traje isotérmico

el acantilado

el termo

40

los lentes de sol

la estrella de mar

las algas

la tabla de surf

el balón de playa

el bikini

la lancha

el ancla

el protector solar

la paleta helada

la gaviota

el cangrejo

la pamela

la boya

la cadena

La playa

el faro

el mar

el camarón

las gafas de bucear

la charca entre rocas

la perezosa

el tubo de respiración

la sombrilla

41

El dormitorio

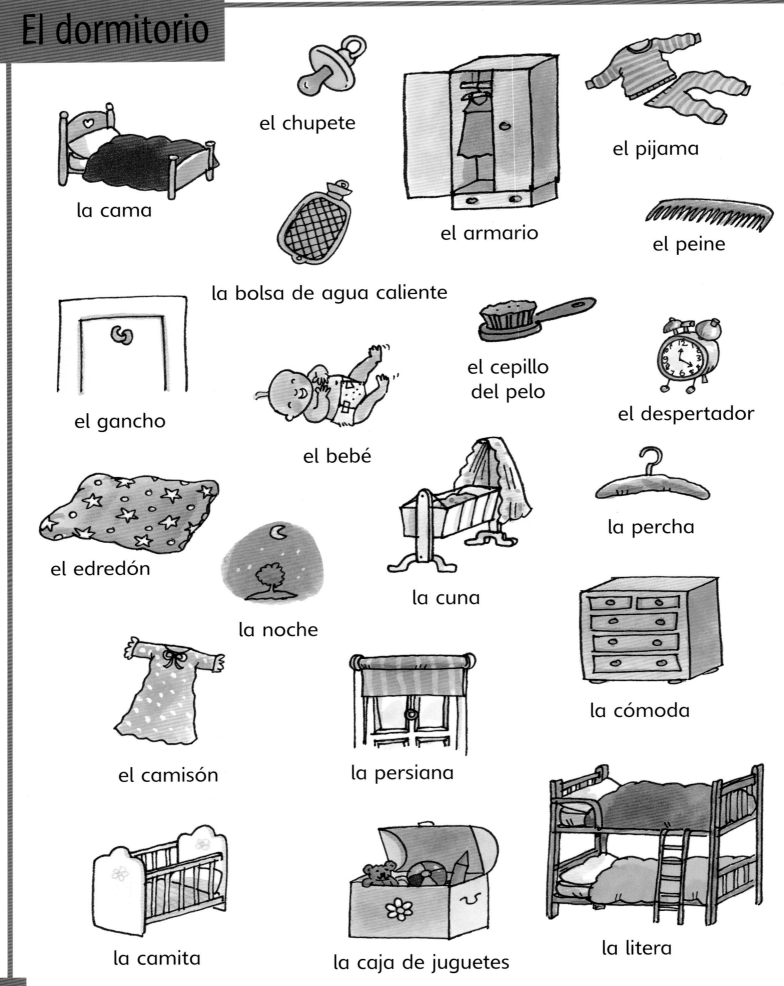

el chupete

el pijama

la cama

el armario

el peine

la bolsa de agua caliente

el gancho

el bebé

el cepillo del pelo

el despertador

la percha

el edredón

la noche

la cuna

la cómoda

el camisón

la persiana

la camita

la caja de juguetes

la litera

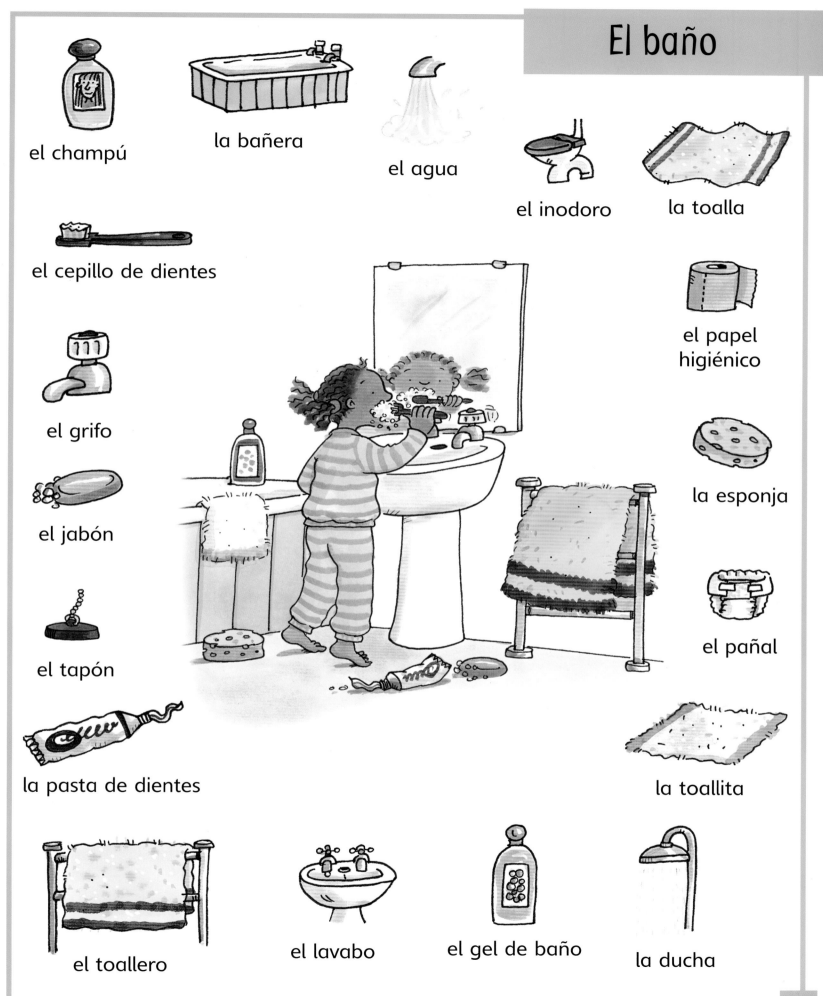

El baño

el champú

la bañera

el agua

el inodoro

la toalla

el cepillo de dientes

el papel higiénico

el grifo

la esponja

el jabón

el tapón

el pañal

la pasta de dientes

la toallita

el toallero

el lavabo

el gel de baño

la ducha

cortar

cepillar

lavar

mirar

agarrar

soplar

llorar

lamer

perseguir

leer

trepar

cavar

comprar

dormir

saltar

escuchar

aplaudir

hacer cola

escribir

tirar

empujar

besar

bailar

nadar

recoger

jugar

montar
en bicicleta

tejer

cocinar

bucear

reír

saltar a la comba

sonreír

caminar

llevar

tomar

correr

sentarse

estar de pie

comer

reñir

cantar

dentro

fuera

abajo

arriba

contento

triste

debajo

encima

frío

caliente

mojado

seco

duro

suave

vacío

lleno

fino

gordo

limpio

sucio

oscuro

claro

largo

corto

encima de

viejo

nuevo

debajo de

cerca

lejos

alto

pequeño

grande

lento

rápido

bajo

pocos

muchos

abierto

cerrado

la dentista

el actor

el cocinero

la jardinera

el bailarín

la camarera

la científica

la cantante

el pintor

el artista

el peluquero

el plomero

el albañil

la secretaria

la florista

el juez

el basurero

el carnicero

el electricista

el submarinista

el recepcionista

el marinero

el mago

la bruja

el limpiacristales

la música

el patinador
sobre hielo

el carpintero

la locutora
de televisión

el panadero

el conductor
de autobús

la periodista

la bibliotecaria

el mecánico

el piloto

el camarero

la ceramista

el montañista

el camionero

el apicultor

Las personas

49

el elefante

el mono

los cachorros de león

la jirafa

la cebra

el ciervo

el guepardo

la tortuga

el gorila

el rinoceronte

el castor

el camello

la ballena

el oso

la lagartija

el flamenco

el lobo

el avestruz

el canguro

el oso polar

el chimpancé

el tucán

el tiburón

el león

el leopardo

el pavo real

el pingüino

el loro

el cocodrilo

la serpiente

la foca

el águila

el delfín

el mapache

el koala

el tigre

el puerco espín

el reno

el frailecillo

el hipopótamo

el caimán

el pelícano

el oso panda

Los números

uno

dos

tres

cuatro

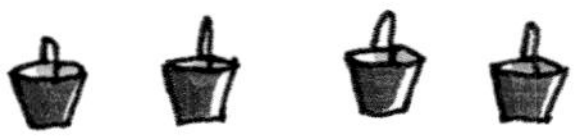

cinco

seis

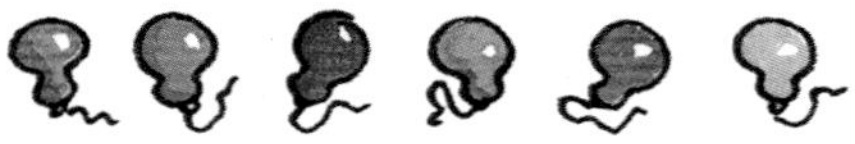

siete

ocho

nueve

diez

once

doce

trece

catorce

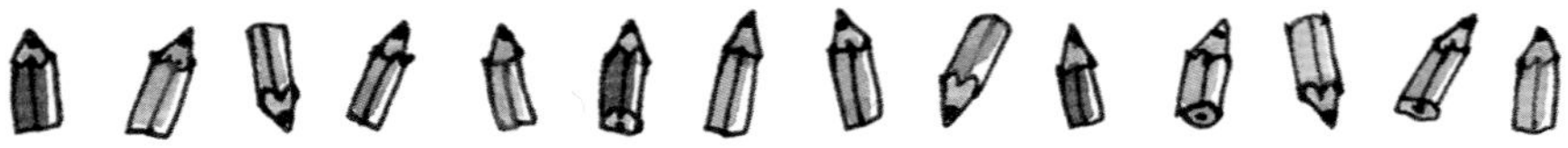

quince

dieciséis

diecisiete

dieciocho

diecinueve

veinte

30 treinta

40 cuarenta

50 cincuenta

60 sesenta

70 setenta

80 ochenta

90 noventa

100 cien

morado

amarillo

negro

rojo

naranja

azul

gris

verde

blanco

marrón

rosa

Las formas

la medialuna

el círculo

el triángulo

el rombo

la estrella

el rectángulo

el cuadrado

el óvalo

el octágono

el hexágono

Los días de la semana

lunes

martes

miércoles

jueves

viernes

sábado

domingo

Los meses del año

enero

febrero

marzo

abril

mayo

junio

julio

agosto

septiembre

octubre

noviembre

diciembre

El tiempo

la lluvia

el sol

la nieve

el viento

el arco iris

el relámpago

la helada

la niebla

Las estaciones

la primavera

el verano

el otoño

el invierno

Useful phrases and
English–Spanish word list

Useful phrases

Greeting people

hola	hello
hola	hi
buenas tardes	good evening
buenas noches	goodnight
adiós/hasta luego	goodbye
don/señor	Sir or Mr.
doña/señora	Madam or Mrs.
señorita	Miss

Being polite

por favor	please
gracias	thank you
muchas gracias	thank you very much
sí	yes
no	no
gracias, señor	thank you (talking to a man)
sí, señora	yes (talking to a woman)
disculpe/con permiso	excuse me

Making friends

¿cómo te llamas?	what is your name?
me llamo ...	my name is ...
¿dónde vives?	where do you live?
vivo en ...	I live ...
¿cuántos años tienes?	how old are you?
tengo (siete) años	I am (seven) years old

Introducing people

este/esta es ...	here is ...
él se llama ...	his name is ...
ella se llama ...	her name is ...
mi	my (for **el** words—**mi hermano**)
mi	my (for **la** words—**mi madre**)
esta es mi madre	here is my mother
mi hermano se llama ...	my brother is called ...

Asking about things

¿qué es esto?	what is it?
es ...	it is ...
un	a (for **el** words—**un libro**)
una	a (for **la** words—**una cama**)
es una cama	it is a bed
¿dónde está ...?	where is ...?
¿dónde están ...?	where are ...?
en	in
detrás de	behind
sobre	on
debajo de	under
el televisor está sobre la mesa	the television is on the table
las revistas están debajo de la mesa	the magazines are under the table

Saying what you like and don't like

me gusta	I like
me gusta mucho	I like a lot
me encanta	I love
no me gusta	I don't like
realmente no me gusta	I don't really like
destesto/odio	I hate
¿te gusta ...?	do you like ...?
me gusta el chocolate	I like chocolate
me encanta bailar	I love dancing

Asking for things

¿tienes ...?	do you have ...?
me gustaría ...	I would like ...
¿cuánto cuesta?	how much is it?
¿tiene ...?	is there ...?
tiene/tengo ...	there is ...
aqui tienes/aqui tiene	there you are

Saying what you have and don't have

tengo	I have
tengo un perro	I have a dog
no tengo	I don't have
él tiene	he has
ella tiene	she has
¿tú tienes?	do you have?

Talking about your hobbies

juego al	I play
juego al tenis	I play tennis
hago	I do
no se jugar	I don't play
no se cómo hacer	I don't do
me gusta jugar	I like playing
no me gusta hacer	I don't like doing
¿qué estás haciendo?	what are you doing?

Being ill

estoy enfermo — I'm ill
me duele la cabeza — I've got a headache
me duele el oído — I've got earache

Talking about what people and things are like

¿cómo es? — what is it like?
es ... — it is ...
es grande — it's big
es pequeño — it's small
yo soy/estoy ... — I am ...
él es/está ... — he is ...
ella es/está ... — she is ...
él está feliz — he is happy
ella está triste — she is sad

Talking about what people do

mi padre es un artista — my father is an artist
mi madre es dentista — my mother is a dentist
quiero ser ... — I would like to be ...

Other useful doing words

yo voy ... — I'm going ...
tengo puesto ... — I'm wearing ...
estoy comiendo ... — I'm eating ...
estoy bebiendo ... — I'm drinking ...

English–Spanish word list

a

above	encima de	[en-see-mah theh]
acrobat	el acróbata	[ah-croh-bah-tha]
actor	el actor	[actor]
adhesive tape	la cinta adhesiva	[seen-tah-ah-eh-see-vah]
airplane	el avión	[ah-vee-on]
airport	el aeropuerto	[ah-eh-roh-poo-er-to]
airship	la aeronave	[ah-eh-ro-nah-veh]
air steward	el auxiliar de vuelo	[ah-oox-ee-lee-ar theh voo-eh-lo]
alarm clock	el despertador	[des-per-tah-thor]
alligator	el caimán	[ka-ee-mann]
alphabet	el alfabeto	[al-fa-beh-toh]
ambulance	la ambulancia	[am-boo-lan-see-ah]
anchor	el ancla	[ahn-cla]
animal	el animal	[ah-nee-mal]
ankle	el tobillo	[to-bee-yeeoh]
apple	la manzana	[man-sah-na]
April	abril	[ah-breel]
apron	el delantal	[de-lahn-tal]
archery	el tiro con arco	[tee-roh con ar-coh]
arm	el brazo	[bra-soh]
armband	el flotador	[floh-tah-thor]
armchair	el sillón	[see-yeeon]
arrow	la flecha	[fleh-cha]
artist	el/la artista	[ar-tees-ta]
astronaut	el astronauta	[as-troh-na-oo-ta]
August	agosto	[ah-gos-toh]
aunt	la tía	[tee-ah]
ax	el hacha	[ah-cha

b

English	Spanish	Pronunciation
baby	el bebé	[beh-beh]
back	la espalda	[es-pal-thah]
backpack	la mochila	[moh-chee-lah]
badminton	el bádminton	[badminton]
baggage rack	el portaequipajes	[por-ta-eh-kee-pah-hes]
baker	el panadero	[pa-na-theh-ro]
ball	la pelota	[peh-loh-ta]
balloon	el globo	[gloh-boh]
banana	la banana	[bah-nah-nah]
band	la banda	[ban-dah]
bandage	la venda	[vehn-dah]
banner	la pancarta	[pan-car-tah]
barbecue	la barbacoa	[bar-ba-coa]
barbed wire	el alambre de púas	[ah-lam-breh theh poo-as]
barge	la barcaza	[bar-cah-sah]
barn	el granero	[gra-neh-ro]
barrel	el barril	[bah-reel]
baseball	el béisbol	[baseball]
basket	el cesto	[ces-toh]
basketball	el baloncesto	[bah-lon-ses-toh]
bat	el bate	[bah-teh]
bathrobe	la bata	[bah-tah]
bathroom	el baño	[bah-nee-o]
bathroom tissue	el papel higiénico	[pah-pel ee-hee-eh-nee-coh]
bathtub	la bañera	[bah-nee-eh-ra]
battery	la pila	[pee-la]
beach	la playa	[pla-ee-ah]
beach ball	el balón de playa	[bah-lohn theh pla-ee-ah]
bear	el oso	[oh-soh]
beaver	el castor	[cas-tor]
bed	la cama	[cah-mah]
bedroom	el dormitorio	[dor-me-tor-eeoh]
bee	la abeja	[ah-beh-ha]
beekeeper	el apicultor	[ah-pee-cool-tor]
bell pepper	el pimiento	[pim-ee-en-toh]
below	debajo de	[deh-bah-ho theh]
belt	el cinturón	[seen-too-rohn]
bicycle	la bicicleta	[bee-see-cleh-ta]
big	grande	[gran-deh]
bikini	el bikini	[bee-kee-nee]
bird	el pájaro	[pa-ha-roh]
bird table	la mesita para los pájaros	[meh-see-ta para los pa-ha-ros]
birthday	el cumpleaños	[coom-pleh-ah-nee-os]
birthday card	la tarjeta de cumpleaños	[tar-heh-ta theh coom-pleh-ah-nee-os]
black	negro	[neh-groh]
blackberry	la mora	[moh-ra]
blanket	la manta	[man-tah]
blind	la persiana	[per-see-ana]
blood	la sangre	[sahn-greh]

English	Spanish	Pronunciation
blow	**soplar**	[soh-plar]
blue	**azul**	[ah-sool]
boat	**la barca**	[barca]
bone	**el hueso**	[oo-eh-soh]
bonfire	**la hoguera**	[oh-geh-rah]
book	**el libro**	[lee-bro]
bookcase	**la estantería**	[ehstan-teh-ree-ah]
boot	**la bota**	[boh-ta]
booth	**el puesto**	[pwess-toh]
bottle	**la botella**	[boh-tee-ee-a]
bottom	**el trasero**	[tra-seh-roh]
bouncy castle	**el castillo inflable**	[cas-tee-ee-oh een-flah-bleh]
bow	**el arco**	[ar-coh]
bowling	**los bolos**	[boh-los]
bowling pin	**el bolo**	[boh-lo]
bow tie	**la corbata de moño**	[cor-bah-tah theh mo-nee-oh]
box	**la caja**	[cah-ha]
boxing	**el boxeo**	[box-eh-oh]
boy	**el niño**	[nee-nee-yo]
branch	**la rama**	[rah-mah]
bread	**el pan**	[pahn]
bread roll	**el bollo de pan**	[boh-ee-oh theh pun]
breakfast	**el desayuno**	[dess-eye-oon-oh]
brick	**el cubo**	[coo-boh]
bricklayer	**el albañil**	[al-bah-neel]
bridge	**el puente**	[poo-ehn-teh]
briefcase	**el maletín**	[mah-leh-teen]
broom	**la escoba**	[ess-coh-bah]
brother	**el hermano**	[air-mah-noh]
brown	**marrón**	[mah-rron]
brush (noun)	**el cepillo**	[seh-pee-eeoh]
brush (verb)	**cepillar**	[se-pee-eear]
bubble	**la burbuja**	[boor-boo-ha]
bubblebath	**el gel de baño**	[hehl theh ba-nee-oh]
bull	**el toro**	[toh-roh]
bumper cars	**los autos de choque**	[ah-ooh-tohs theh cho-keh]
bunk beds	**la litera**	[lee-the-ra]
buoy	**la boya**	[boh-ee-ah]
burger	**el hamburguesa**	[am-boor-geh-sah]
bus	**el autobús**	[a-oo-to-boos]
bus driver	**el conductor de autobús**	[con-dooc-tor theh a-oo-toh-boos]
bush	**el arbusto**	[ar-boos-toh]
bus stop	**la parada de autobús**	[pa-ra-tha theh a-oo-toh-boos]
butcher	**el carnicero**	[car-nee-seh-roh]
butter	**la manteca**	[man-teh-ca]
butterfly	**la mariposa**	[ma-ree-poh-sa]
buy	**comprar**	[com-prar]

c

English	Spanish	Pronunciation
cab	**el taxi**	[taxi]
café	**la cafetería**	[ca-feh-teh-ree-a]
cage	**la jaula**	[ha-oo-la]
cake	**la torta**	[tor-tah]
calendar	**el calendario**	[cah-len-dah-ree-oh]
calf	**la ternera**	[ter-neh-rah]
camcorder	**la videocámara**	[vee-deh-o-cah-mah-rah]
camel	**el camello**	[cah-meh-ee-oh]
camera	**la cámara**	[cah-mah-rah]
camper	**el/la campista**	[cahm-pees-tah]
campfire	**la hoguera**	[oh-geh-rah]
can	**la lata**	[lah-ta]
canal	**el canal**	[cah-nal]
candle	**la vela**	[veh-la]
candlestick	**el candelabro**	[can-deh-la-bro]
candy	**el caramelo**	[cah-rah-meh-lo]
canoe	**la canoa**	[cah-noh-ah]
canoeing	**el piragüismo**	[pi-rah-goo-ees-moh]
cap	**la gorra**	[goh-rra]
cape	**la capa**	[cah-pah]
car	**el coche**	[co-cheh]
cardigan	**la chaqueta**	[cha-ke-ta]
carousel	**el carrusel**	[cah-roo-sehl]
carpenter	**el carpintero**	[car-peen-teh-roh]
carpet	**la alfombra**	[al-fom-brah]
carrot	**la zanahoria**	[sah-nah-oh-ree-a]
carry	**llevar**	[ee-eh-var]
cassette	**el casete**	[cah-seh-teh]
castle	**el castillo**	[cas-tee-ee-o]
cat	**el gato**	[gato]
catch	**agarrar**	[ah-gah-rrar]
caterpillar	**la oruga**	[o-roo-ga]
cellphone	**el teléfono móvil**	[tele-fono mo-veel]
cereal	**los cereales**	[se-reh-ah-lehs]
chain	**la cadena**	[cah-theh-nah]
chair	**la silla**	[see-eeah]
chalk	**la tiza**	[tee-sah]
chalkboard	**la pizarra**	[pee-sah-rra]
change purse	**el monedero**	[moh-neh-theh-roh]

chase	**perseguir**	[per-seh-geer]	computer game	**el videojuego**	[vee-deh-oh-hoo-eh-goh]
checkout	**la caja**	[cah-ha]	conductor (man)	**el controlador de boletos**	[con-troh-lah-dor theh boh-leh-tos]
cheek	**la mejilla**	[me-hee-yeeah]	conductor (woman)	**la controladora de boletos**	[con-troh-lah-dor-a theh boh-leh-tos]
cheese	**el queso**	[keh-soh]			
cheetah	**el guepardo**	[geh-par-doh]	control tower	**la torre de control**	[toh-rreh theh con-trol]
cherry	**la cereza**	[ceh-reh-sa]			
chest	**el pecho**	[peh-cho]	cook (verb)	**cocinar**	[coh-see-nar]
chick	**el pollito**	[poh-ee-lee-toh]	cook (noun)	**el cocinero**	[co-see-neh-ro]
chicken	**el pollo**	[poh-ee-o]	cookie	**la galleta**	[gah-ee-eh-tah]
children	**los niños**	[nee-nee-oss]	corn on the cob	**el choclo**	[cho-cloh]
chimpanzee	**el chimpancé**	[cheem-pan-seh]	costume	**el disfraz**	[dees-frahss]
chin	**la barbilla**	[bar-bee-eeah]	cotton candy	**el algodón de azúcar**	[al-goh-don theh ah-soo-car]
chocolate	**el chocolate**	[cho-co-lah-teh]			
church	**la iglesia**	[ee-glee-eh-see-ah]			
circle	**el círculo**	[seer-coo-loh]	cotton ball	**el algodón**	[ahl-goh-don]
circus	**el circo**	[seer-koh]	couch	**el sofá**	[so-fa]
city	**la ciudad**	[syoo-thah]	countryside	**el campo**	[cahm-poh]
clap	**aplaudir**	[ah-pla-oo-deer]	cousin (female)	**la prima**	[pree-mah]
clean	**limpio**	[leem-pee-oh]	cousin (male)	**el primo**	[pree-moh]
cliff	**el acantilado**	[ah-can-tee-lah-doh]	cow	**la vaca**	[vaca]
climb	**trepar**	[treh-par]	cowboy	**el vaquero**	[vah-keh-roh]
climber	**el/la montañista**	[mon-tah-nees-tah]	crab	**el cangrejo**	[can-greh-ho]
clock	**el reloj**	[re-logh]	cradle	**la cuna**	[coo-nah]
closed	**cerrado**	[ceh-rrah-doh]	credit card	**la tarjeta de crédito**	[tar-heh-ta theh creh-thee-to]
closet	**el armario**	[arma-ree-oh]			
clothes	**la ropa**	[roh-pa]			
clothesline	**el tendedero**	[tend-theh-theh-ro]	crescent	**la medialuna**	[meh-dee-a-loo-nah]
clothespin	**la pinza**	[peen-sah]	crib	**la camita**	[cah-mee-tah]
cloud	**la nube**	[noo-beh]	cricket	**el críquet**	[cricket]
clown	**el payaso**	[pa-eeah-soh]	crocodile	**el cocodrilo**	[coh-coh-dree-ee-oh]
coat (doctor's)	**la bata de médico**	[bah-tah theh meh-dee-co]			
coffee	**el café**	[ca-feh]	crutch	**la muleta**	[moo-leh-ta]
cold	**frío**	[free-oh]	cry	**llorar**	[ee-oh-rar]
color	**el color**	[coh-lor]	cucumber	**el pepino**	[peh-pee-no]
coloring pencil	**el lápiz de color**	[lah-pees theh coh-lor]	cup	**la taza**	[tas-sah]
			cushion	**el almohadón**	[almo-ah-don]
comb	**el peine**	[peh-ee-neh]	cut	**cortar**	[cor-tar]
combine harvester	**la cosechadora**	[coh-seh-cha-tho-rah]	cycle	**montar en bicicleta**	[mon-tar en bee-see-cleh-tah]
comforter	**el edredón**	[eh-dreh-dohn]	cycling	**el ciclismo**	[see-clis-moh]
comic book	**el cómic**	[comic]	**d**		
compact disc	**el disco compacto**	[dees-co com-pac-to]	dance	**bailar**	[ba-ee-lar]
computer	**la computadora**	[cohm-poo-ta-doh-rah]	dancer	**el bailarín**	[bah-ee-la-reen]
			dark	**oscuro**	[os-coo-roh]
			day	**el día**	[dee-ah]
			December	**diciembre**	[dee-see-em-breh]

English	Spanish	Pronunciation	English	Spanish	Pronunciation
deckchair	**la perezosa**	[peh-reh-so-sah]	easel	**el caballete**	[caba-ee-eh-teh]
decorator	**el pintor**	[peen-tor]	eat	**comer**	[coh-mer]
deer	**el ciervo**	[see-er-voh]	egg	**el huevo**	[oo-eh-voh]
dentist	**el/la dentista**	[den-tis-tah]	egg cup	**la huevera**	[oo-eh-veh-ra]
desk	**el escritorio**	[es-cree-tor-ree-o]	eight	**ocho**	[oh-cho]
diamond	**el rombo**	[rom-boh]	eighteen	**dieciocho**	[dee-eh-see-oh-cho]
diaper	**el pañal**	[pah-nee-al]			
dice	**los dados**	[tha-thos]	elbow	**el codo**	[co-thoh]
dig	**cavar**	[cah-var]	elbow pad	**la codera**	[co-theh-ra]
digger	**la excavadora**	[ex-ca-vah-do-ra]	electrician	**el/la electricista**	[eh-lec-tree-sees-ta]
dinghy	**el bote**	[boh-teh]			
dinner	**la cena**	[say-nah]	elephant	**el elefante**	[eh-leh-fahn-teh]
dinosaur	**el dinosaurio**	[dee-noh-sor-ee-oh]	elevator	**el ascensor**	[ah-sen-sor]
dirty	**sucio**	[soo-see-oh]	eleven	**once**	[on-seh]
dishwasher	**el lavaplatos**	[lah-vah-plah-toss]	empty	**vacío**	[vah-see-oh]
			envelope	**el sobre**	[soh-breh]
dive	**bucear**	[boo-seh-ar]	eraser	**la goma de borrar**	[gom-mah theh boh-rrar]
diver	**el/la submarinista**	[soob-mah-ree-nees-tah]	escalator	**la escalera mecánica**	[es-cah-leh-rah meh-cah-nee-cah]
diving	**el salto de trampolín**	[sal-toh theh tram-poh-leen]			
diving board	**el trampolín**	[tram-poh-leen]	eye	**el ojo**	[oh-hoh]
doctor (man)	**el médico**	[meh-dee-co]	**f**		
doctor (woman)	**la médica**	[meh-dee-ca]	face paints	**las pinturas para la cara**	[peen-too-ras para la cara]
dog	**el perro**	[peh-rroh]			
doll	**la muñeca**	[moo-nee-eh-ca]	fall	**el otoño**	[oh-toh-nee-oh]
dolls' house	**la casa de muñecas**	[casa theh moo-nee-eh-cas]	family	**la familia**	[fam-ee-yah]
			far	**lejos**	[leh-hos]
			farm	**la granja**	[gran-ha]
dolphin	**el delfín**	[del-feen]	farmer	**el granjero**	[gran-heh-roh]
donkey	**el burro**	[boo-rro]	farmhouse	**la casa de hacienda**	[cah-sah theh ah-see-ehn-dah]
donut	**el dónut**	[doh-noot]			
door	**la puerta**	[pwair-ta]			
door handle	**el picaporte**	[pee-ca-por-tay]	fast	**rápido**	[rah-pee-doh]
			fat	**gordo**	[gor-doh]
down	**abajo**	[ah-bah-ho]	father	**el padre**	[pa-dreh]
dragonfly	**la libélula**	[lee-beh-loo-la]	faucet	**el grifo**	[gree-foh]
drain	**el desagüe**	[des-ha-goo-eh]	February	**febrero**	[fehvrieh]
drape	**la cortina**	[cor-tee-na]	felt tip	**el rotulador**	[roh-too-lah-dor]
dress	**el vestido**	[ves-tee-do]			
dresser	**la cómoda**	[coh-moh-dah]	Ferris wheel	**la rueda gigante**	[roo-eh-tha hee-gan-teh]
drill	**el taladro**	[ta-lah-dro]			
drink	**tomar**	[toh-mar]	ferry	**el transbordador**	[trans-bor-thah-thor]
drum	**el tambor**	[tam-bor]			
dry	**seco**	[seh-co]	few	**pocos**	[poh-cos]
duck	**el pato**	[pah-to]	field	**el campo**	[cahm-po]
duckling	**el patito**	[pa-tee-toh]	field hockey	**el hockey**	[hoh-key]
duster	**el trapo**	[tra-poh]	fifteen	**quince**	[keen-seh]
dustpan	**el recogedor**	[re-co-he-thor]	film	**la película**	[peh-lee-coo-lah]
e					
eagle	**el águila**	[agheela]	finger	**el dedo**	[theh-thoh]
ear	**la oreja**	[o-reh-ha]			

firefighter	**el bombero**	[bom-beh-ro]	garbage can	**el tarro**	[tah-rroh theh
fire truck	**el coche de**	[co-che theh-		**de basura**	ba-soo rah]
	bomberos	bom-beh-ros]	garbage man	**el basurero**	[bah-soo-reh-roh]
firework	**el fuego artificial**	[foo-eh-go ar-	gardener (man)	**el jardinero**	[har-dee-neh-roh]
		tee-fee-see-	gardener (woman)	**la jardinera**	[har-dee-neh-rah]
		ahl]	gas pump	**el surtidor**	[soor-tee-tor-
first-aid box	**el botiquín**	[boh-tee-keen]		**de gasolina**	theh ga-soh-
fish	**el pez**	[pess]			lee-na]
fisherman	**el pescador**	[pes-ca-thor]	gas station	**el estación**	[es-tah-see-on
fishing rod	**la caña de**	[cah-nee-ah		**de servicio**	theh ser-vi-
	pescar	theh pes-car]			see-o]
five	**cinco**	[seen-coh]	gate	**la verja**	[ver-hah]
flag	**la bandera**	[bahn-deh-rah]	ghost train	**el tren**	[tren
flamingo	**el flamenco**	[flah-men-coh]		**fantasma**	fahn-tas-ma]
flask	**el termo**	[ter-mo]	gift	**el regalo**	[reh-gah-loh]
flipper	**la aleta**	[ah-leh-ta]	giraffe	**la jirafa**	[hee-rah-fah]
florist	**el/la florista**	[flo-rees-tah]	girl	**la niña**	[nee-nee-ya]
flower	**la flor**	[floor]	glass	**el vaso**	[vah-soh]
flower-bed	**el parterre**	[par-teh-rreh]	globe	**el globo**	[gloh-boh the-
flute	**la flauta**	[fla-oo-tah]		**terráqueo**	rra-keh-oh]
foal	**el potro**	[poh-tro]	glove	**el guante**	[goo-an-te]
fog	**la niebla**	[nee-eh-blah]	glue	**el pegamento**	[peh-gah-
food mixer	**la batidora**	[ba-tee-tho-ra]			men-toh]
foods	**los alimentos**	[ah-lee-men-	goat	**la cabra**	[cah-brah]
		toss]	go-cart racing	**las carreras**	[cah-rre-rass
foot	**el pie**	[pee-eh]		**de karts**	theh karts]
football	**el fútbol**	[football]	goggles	**las gafas**	[gah-fahs theh
footstool	**el escabel**	[ess-ka-bell]		**de bucear**	boo-se-ar]
forehead	**la frente**	[frenteh]	goose	**el ganso**	[gan-soh]
forest	**el bosque**	[bos-keh]	gorilla	**el gorila**	[goh-ree-lah]
fork (garden)	**la horca**	[orca]	grandfather	**el abuelo**	[a-boo-eh-loh]
fork (table)	**el tenedor**	[teh-neh-thor]	grandmother	**la abuela**	[a-boo-eh-lah]
fort	**el fuerte**	[foo-ehr-te]	grape	**la uva**	[oo-va]
fountain	**la fuente**	[foo-ehn-teh]	grass	**el pasto**	[pas-toh]
four	**cuatro**	[coo-ah-troh]	gray	**gris**	[grees]
fourteen	**catorce**	[cah-tor-seh]	green	**verde**	[ver-deh]
fox	**el zorro**	[zoh-rro]	greenhouse	**el invernadero**	[een-ver-na-
French fries	**las papas fritas**	[pa-pas			theh-roh]
		freetas]	grocery bag	**la bolsa**	[bol-sah]
Friday	**viernes**	[vee-ehr-ness]	guitar	**la guitarra**	[g-ee-tah-rra]
fridge	**la nevera**	[neh-veh-ra]	gymnastics	**la gimnasia**	[heem-nah-see-a]
frog	**la rana**	[rah-nah]	**h**		
frost	**la helada**	[eh-lah-dah]	hair	**el pelo**	[peh-loh]
fruit bowl	**el frutero**	[froo-teh-roh]	hairbrush	**el cepillo**	[she-pee-eeo
fruit juice	**el jugo de**	[hoo-go theh		**del pelo**	thel peh-loh]
	frutas	froo-tas]	hairdresser	**el peluquero**	[peh-loo-keh-
fruit salad	**la ensalada**	[en-sah-lah-thah			roh]
	de frutas	theh froo-tahs]	ham	**el jamón**	[ha-mon]
frying pan	**la sartén**	[sar-tehn]	hammock	**la hamaca**	[a-mah-cah]
full	**lleno**	[ee-eh-noh]	hamster	**el hámster**	[hamster]
g			hand	**la mano**	[ma-noh]
garbage	**la basura**	[ba-soo-rah]	hanger	**la percha**	[suntr]
			hang-gliding	**el parapente**	[pah-rah-pen-teh]
			happy	**contento**	[con-ten-toh]

hard	**duro**	[doo-roh]
hare	**la liebre**	[lee-eh-bre]
hat	**el gorro**	[go-rroh]
hay	**el heno**	[eh-noh]
head	**la cabeza**	[ca-be-sah]
headlight	**el faro**	[fah-ro]
headphones	**los auriculares**	[ah-oo-ree-coo-lah-ress]
hedge	**el seto**	[seh-toh]
heel	**el talón**	[ta-lon]
helicopter	**el helicóptero**	[eh-lee-cop-teh-roh]
helmet	**el casco**	[cas-co]
hen	**la gallina**	[gah-ee-na]
henhouse	**el gallinero**	[gah-ee-neh-roh]
heron	**la garza real**	[gar-sah reh-ahl]
hexagon	**el hexágono**	[hex-ah-goh-noh]
hi-fi	**el equipo de música**	[eh-kee-poh theh moo-see-ka]
high	**alto**	[al-toh]
highchair	**la silla alta**	[shez-oht]
high jump	**el salto de altura**	[sal-toh theh al-too-rah]
hill	**la colina**	[coh-lee-na]
hip	**la cadera**	[ca-theh-ra]
hippopotamus	**el hipopótamo**	[hee-poh-poh-tah-moh]
hoe	**la azada**	[as-sa-thah]
honey	**la miel**	[mee-el]
hood (car)	**el capó**	[cah-poh]
hook	**el gancho**	[gan-choh]
horse	**el caballo**	[cah-ba-ee-o]
hose	**la manguera**	[mahn-geh-ra]
hospital	**el hospital**	[os-pee-tal]
hot	**caliente**	[cah-lee-en-teh]
hot-air balloon	**el globo de aire caliente**	[gloh-boh theh ah-ee-re cah-lee-ehn-te]
hot dog	**el perrito caliente**	[peh-rree-toh cah-lee-ehn-teh]
hot-water bottle	**la bolsa de agua caliente**	[bol-sa theh ah-goo-ah cah-lee-ehn-teh]
house	**la casa**	[kassa]
i		
ice cream	**el helado**	[eh-lah-thoh]
ice-cream truck	**el puesto de helados**	[poo-ehs-toh theh eh-lah-thohs]

ice hockey	**el hockey sobre hielo**	[hoh-key sobreh hee-eh-lo]
ice skater	**el patinador sobre hielo**	[pah-tee-nah-dor sobre hee-eh-lo]
ice skating	**el patinaje sobre hielo**	[pa-tee-na-heh sobre hee-eh-lo]
in	**dentro**	[den-troh]
iron	**la plancha**	[plan-cha]
ironing board	**la tabla de planchar**	[tah-bla theh plan-char]
island	**la isla**	[ess-lah]
j		
jacket	**el saco**	[sa-coh]
jack-in-the-box	**la caja sorpresa**	[ca-hah sor-pre-sa]
January	**enero**	[eh-neh-roh]
jar	**la jarra**	[ha-rra]
jeans	**los vaqueros**	[va-keh-ros]
jelly	**la mermelada**	[mer-meh-lah-dah]
jellyfish	**la medusa**	[meh-doo-sa]
jigsaw puzzle	**el rompecabezas**	[rom-peh-cah-beh-sas]
jogging	**el footing**	[footing]
journalist	**el/la periodista**	[peh-ree-o-dees-ta]
judge	**el juez**	[hoo-es]
juggler	**el/la malabarista**	[mah-lah-bah-rees-tah]
July	**julio**	[hool-eeo]
jumbo jet	**el jumbo**	[joom-bo]
jump	**saltar**	[sahl-tar]
jump rope	**la cuerda de saltar**	[coo-ehr-tha theh sal-tar]
jungle gym	**la estructura para trepar**	[es-trooc-too-rah para treh-pahr]
June	**junio**	[hoon-eeo]
k		
kangaroo	**el canguro**	[kan-goo-roh]
karate	**el karate**	[ka-ra-teh]
kennel	**la caseta del perro**	[cah-seh-tah thel peh-rro]
ketchup	**el ketchup**	[ket-choop]
kettle	**la pava**	[pah-vah]
key	**la llave**	[eeyah-veh]
keyboard	**el teclado**	[teh-clah-doh]
kid	**el cabrito**	[cah-bree-toh]
kiosk	**el kiosco**	[kiosk]
kiss	**besar**	[beh-sahr]
kitchen	**la cocina**	[co-see-na]
kite	**la cometa**	[coh-meh-ta]
kitten	**el gatito**	[gah-tee-toh]

knee	**la rodilla**	[ro-thee-yah]	
knee pad	**la rodillera**	[roh-dee-ee-eh-ra]	
knife	**el cuchillo**	[coo-chee-eeoh]	
knit	**tejer**	[teh-her]	
koala	**el koala**	[ko-ah-laa]	

l

label	**la etiqueta**	[eh-tee-keh-ta]
ladder	**la escalera de mano**	[es-ca-leh-ra theh mah-no]
ladybug	**la mariquita**	[mah-ree-kee-ta]
lake	**el lago**	[lah-go]
lamb	**el cordero**	[cor-deh-ro]
lamp	**la lámpara**	[lahm-pa-ra]
lamp post	**la farola**	[fah-ro-lah]
laugh	**reír**	[reh-eer]
lawnmower	**la cortadora de pasto**	[cor-tah-thoh-rah theh pas-to]
lead	**la correa**	[co-rreh-a]
leaf	**la hoja**	[oh-ha]
leg	**la pierna**	[pee-er-na]
lemon	**el limón**	[lee-mohn]
lemonade	**la limonada**	[lee-mo-nah-dah]
leopard	**el leoparda**	[leh-oh-par-doh]
lettuce	**la lechuga**	[leh-choo-gah]
librarian (man)	**el bibliotecario**	[bee-blee-oh-teh-ca-ree-oh]
librarian (woman)	**la bibliotecaria**	[bee-blee-oh-teh-ca-ree-ah]
lick	**lamer**	[lah-mer]
lifeguard	**el socorrista**	[soh-co-rris-tah]
lifesaver	**el flotador**	[floh-tah-thor]
light (noun)	**la luz**	[looth]
light (adjective)	**claro**	[clah-roh]
light bulb	**la bombilla**	[bom-bee-yah]
lighthouse	**el faro**	[fah-roh]
lightning	**el relámpago**	[reh-lam-pah-go]
lion	**el león**	[leh-on]
lion cub	**el cachorro de león**	[cah-cho-rro theh leh-on]
list	**la lista**	[lees-ta]
listen	**escuchar**	[es-coo-char]
lizard	**la lagartija**	[lah-gar-tee-ha]
lock	**la esclusa**	[es-cloo-sah]
log	**el tronco**	[tron-co]
log cabin	**la cabaña de madera**	[cah-bah-nee-ah theh ma-theh-rah]
long	**largo**	[lar-goh]
long jump	**el salto de longitud**	[sal-toh theh lon-hee-tood]

look	**mirar**	[mee-rar]
low	**bajo**	[ba-hoh]
lunch	**el almuerzo**	[ahl-moo-er-tho]
lunch box	**la fiambrera**	[fee-am-breh-rah]

m

magazine	**la revista**	[reh-vees-ta]
magician	**el mago**	[mah-goh]
magic wand	**la varita mágica**	[va-ree-ta mah-hee-ca]
mailman	**el cartero**	[car-teh-ro]
man	**el hombre**	[om-bray]
many	**muchos**	[moo-chos]
map	**el mapa**	[mah-pah]
marble	**la canica**	[ca-nee-ca]
March	**marzo**	[mar-soh]
marmalade	**la mermelada**	[mer-meh-lah-dah]
mask	**la máscara**	[mahs-cah-rah]
mat	**la esterilla**	[es-teh-ree-eea]
match	**el fósforo**	[fos-foh-roh]
matchbox	**la caja de fósforos**	[ca-ha theh fos-foh-rohs]
May	**mayo**	[mah-eeo]
maze	**el laberinto**	[lah-beh-reen-toh]
meat	**la carne**	[car-neh]
mechanic	**el mecánico**	[meh-cah-nee-co]
medicine	**el medicamento**	[meh-dee-cah-mehn-toh]
mermaid	**la sirena**	[see-reh-nah]
merry-go-round	**la calesita**	[cah-lee-see-ta]
milk	**la leche**	[leh-che]
mirror	**el espejo**	[ess-peh-ho]
mobile	**el móvil**	[moh-bil]
modeling clay	**la plastilina**	[plas-tee-lee-nah]
Monday	**lunes**	[loo-ness]
money	**el dinero**	[thee-neh-ro]
monitor	**el monitor**	[moh-nee-tor]
monkey	**el mono**	[moh-noh]
month	**el mes**	[mess]
moth	**la polilla**	[poh-lee-ee-a]
mother	**la madre**	[ma-dreh]
motorboat	**la lancha**	[lan-cha]
motorcycle	**la motocicleta**	[mo-to-see-cleh-ta]
mountain	**la montaña**	[mon-tah-nee-ah]
mouse	**el ratón**	[rah-tohn]
mouth	**la boca**	[boh-cah]
movie theater	**la sala de cine**	[sah-lah theh see-neh]
mug	**el tazón**	[tas-son]
museum	**el museo**	[moo-seh-oh]

English	Spanish	Pronunciation	English	Spanish	Pronunciation
mushroom	la seta	[seh-ta]	pail	el balde	[bahl-deh]
musician (man)	el músico	[moo-see-co]	paintbrush	el pincel	[peen-sel]
musician (woman)	la música	[moo-see-ca]	painting	el dibujo	[dee-boo-hoh]
n			paint pot	el bote de pintura	[boh-teh theh peen-too-rah]
nail	la uña	[oo-nee-yah]			
napkin	la servilleta	[ser-vee-eh-ta]	paints	las pinturas	[peen-too-rahs]
near	cerca	[cer-ca]	pajamas	el pijama	[pee-hah-mah]
neck	el cuello	[coo-eh-yeeoh]	pancake	el panqueque	[pan-keh-keh]
necklace	el collar	[coh-ee-ar]	panda	el oso panda	[oh-soh pan-dah]
nest	el nido	[nee-thoh]	pants	los pantalones	[pan-ta-lo-ness]
net	la red	[rehd]			
netball	el baloncesto femenina	[bah-lon-ses-toh fem-en-ee-na]	pantyhose	los leotardos	[leh-oh-tar-thoss]
new	nuevo	[noo-eh-voh]	paper	el papel	[pah-pehl]
newspaper	el diario	[dee-ah-ree-o]	paper chain	la cadeneta de papel	[ka-deh-neh-ta theh pah-pehl]
night	la noche	[noh-chay]			
nightgown	el camisón	[cah-mee-son]	paper cup	el vaso de papel	[vah-so theh pah-pehl]
nine	nueve	[noo-eh-veh]			
nineteen	diecinueve	[dee-eh-see-noo-eh-veh]	paper towel	el papel de cocina	[pah-pehl theh co-see-nah]
nose	la nariz	[na-rees]	paramedic	el ambulanciero	[am-boo-lan-see-eh-roh]
notice board	el tablón de anuncios	[tah-blohn theh-ah-noon-see-os]			
			park	el parque	[par-keh]
			parking meter	el parquímetro	[par-kee-meh-tro]
November	noviembre	[noh-vee-em-breh]	park keeper	el guardián del parque	[goo-ar-dee-an thel par-keh]
number	el número	[noo-meh-roh]	parrot	el loro	[loh-roh]
nurse (man)	el enfermero	[ehn-fer-meh-roh]	party	la fiesta	[fee-eh-sta]
			party bag	la bolsa de regalo	[bol-sah theh reh-gah-loh]
nurse (woman)	la enfermera	[ehn-fer-meh-rah]	party dress	el vestido de fiesta	[ves-tee-doh theh fee-eh-sta]
nut	la nuece	[noo-eh-seh]			
o			party hat	el gorro de fiesta	[goh-rro theh fee-eh-sta]
oar	el remo	[reh-mo]			
octagon	el octágono	[ok-tah-goh-noh]	passport	el pasaporte	[pah-sah-por-teh]
October	octubre	[oc-too-breh]			
old	viejo	[vee-eh-ho]	pasta	la pasta	[pah-sta]
one	uno	[oono]	path	el sendero	[sehn-deh-ro]
onion	la cebolla	[seh-boh-ee-a]	patient	el paciente	[pah-see-en-teh]
open	abierto	[ah-bee-er-to]	patrol car	el coche de policía	[co-cheh theh po-lee-see-ah]
orange (color)	naranja	[na-ran-ha]			
orange (fruit)	la naranja	[na-ran-ha]	pea	el guisante	[gee-san-tay]
orchard	el manzanal	[man-sah-nal]	peacock	el pavo real	[pah-voh reh-ahl]
orderly	el camillero	[cah-mee-ee-eh-ro]	pear	la pera	[peh-rah]
			pebble	el guijarro	[guee-hah-rro]
ornament	el adorno	[a-thor-no]	pelican	el pelícano	[peh-lee-cah-noh]
ostrich	el avestruz	[ah-ves-trooth]	pencil	el lápiz	[lah-pees]
out	fuera	[foo-eh-rah]	penguin	el pingüino	[peen-goo-ee-noh]
oval	el óvalo	[ph-vah-loh]			
over	encima	[en-see-mah]	people	las personas	[per-soh-nas]
overcoat	el abrigo	[a-bree-goh]	pepper	la pimienta	[pee-mee-entah]
owl	la lechuza	[le-choo-sah]	phone booth	la cabina telefónica	[ca-bee-na teh-leh-pho-nee-ca]
p					
pacifier	el chupete	[choo-peh-teh]			

English	Spanish	Pronunciation
photograph	**la fotografía**	[pho-to-gra-fee-yah]
piano	**el piano**	[piano]
pick	**recoger**	[reh-co-her]
picnic	**el picnic**	[peek-neek]
picnic table	**la mesa de picnic**	[meh-sah theh peek-neek]
picture	**el cuadro**	[coo-a-dro]
pig	**el chancho**	[chan-cho]
pigeon	**la paloma**	[pah-loh-mah]
piglet	**el chancito**	[chan-chee-toh]
pigpen	**la pocilga**	[poh-seel-gah]
pill	**la pastilla**	[pas-tee-a]
pillow	**la almohada**	[ahl-moh-ah-dah]
pilot	**el piloto**	[pee-loh-toh]
pineapple	**la piña**	[pee-nee-a]
pink	**rosa**	[roh-sa]
pipe	**la tubería**	[too-beh-ree-a]
pirate	**el pirata**	[pee-rah-tah]
pitcher	**la jarra**	[harra]
pizza	**la pizza**	[pizza]
plant	**la planta**	[plahn-ta]
plaster cast	**el enyesado**	[en-seh-ee-ah-doh]
plate	**el plato**	[plah-to]
platform	**el andén**	[ahn-then]
play	**jugar**	[hoo-gar]
playing card	**la carta**	[cahr-ta]
plow	**el arado**	[ah-rah-doh]
plug (electric)	**el enchufe**	[en-choo-pheh]
plug (washbasin)	**el tapón**	[tah-pon]
plum	**la ciruela**	[see-roo-eh-la]
plumber	**el plomero**	[ploh-meh-ro]
polar bear	**el oso polar**	[oh-soh poh-lar]
police officer	**el agente de policía**	[a-hen-teh theh po-lee-see-ah]
pond	**el estanque**	[es-tahn-keh]
popcorn	**las cabritas**	[cah-bree-tahs]
popsicle	**la paleta helada**	[pah-leh-tah eh-lah-thah]
porcupine	**el puerco espín**	[poo-er-co es-peen]
poster	**el afiche**	[ah-fee-che]
potato	**la papa**	[pah-pah]
potato chips	**las papas fritas**	[pah-pahs free-tahs]
pot glove	**el guante para el horno**	[goo-an-teh para ehl orno]
pottery maker	**el/la ceramista**	[se-rah-mees-tah]
printer	**la impresora**	[eem-preh-soh-rah]

English	Spanish	Pronunciation
puffin	**el frailecillo**	[fra-ee-leh-see-eeo]
pull	**tirar**	[tee-rar]
puppet	**la marioneta**	[mah-ree-oh-neh-tah]
purple	**morado**	[moh-rah-doh]
purse	**la cartera**	[car-teh-rah]
push	**empujar**	[em-poo-har]

r

English	Spanish	Pronunciation
rabbit	**el conejo**	[coh-neh-ho]
raccoon	**el mapache**	[mah-pah-che]
racing car	**el coche de carreras**	[co-che theh cah-rreh-ras]
radiator	**el radiador**	[ra-dee-a-dor]
radio	**la radio**	[ra-dee-o]
raft	**la balsa**	[bahl-sa]
railroad station	**la estación de tren**	[es-tah-see-on theh tren]
rain	**la lluvia**	[ee-oo-vee-ah]
rainbow	**el arco iris**	[ar-coh ee-rees]
raincoat	**el impermeable**	[im-per-meh-ah-bleh]
rake	**el rastrillo**	[ras-tree-eeoh]
rattle	**el sonajero**	[so-na-heh-ro]
read	**leer**	[leh-ehr]
receipt	**el recibo**	[reh-see-bo]
receptionist	**el/la recepcionista**	[reh-sep-see-oh-nees-tah]
recorder	**la flauta dulce**	[fla-oo-tah dool-che]
rectangle	**el rectángulo**	[rec-tahn-goo-loh]
red	**rojo**	[ro-ho]
reindeer	**el reno**	[reh-noh]
restaurant	**el restaurante**	[res-tah-oo-ran-teh]
rhinoceros	**el rinoceronte**	[ree-noh-seh-ron-teh]
ribbon	**la cinta**	[seen-tah]
rice	**el arroz**	[a-rros]
riding	**la equitación**	[eh-kee-tah-see-on]
ringmaster	**el maestro de ceremonias**	[ma-ehs-tro theh seh-reh-moh-nee-as]
river	**el río**	[ree-oh]
road	**la carretera**	[cah-rreh-teh-rah]
robot	**el robot**	[roh-bot]
rock	**la roca**	[roh-ca]
rocket	**el cohete**	[coh-eh-teh]
rocking chair	**el mecedor**	[me-se-thor]
rocking horse	**el caballito de balancín**	[ca-ba-ee-to theh bah-lan-seen]

rockpool	**la charca entre rocas**	[char-cah en-treh roh-cas]	season	**la estación**	[es-tass-ee-on]
roller-coaster	**la montaña rusa**	[mon-tah-nee-ah roo-sah]	seat	**el banco**	[bahn-coh]
			seaweed	**las algas**	[al-gas]
roller skates	**los patines**	[pa-tee-ness]	secretary	**la secretaria**	[seh-creh-tah-ree-ah]
rolling pin	**el rodillo**	[ro-dee-eeoh]			
roof	**el techo**	[teh-cho]	seed	**la semilla**	[seh-mee-eea]
rooster	**el gallo**	[gah-ee-o]	seesaw	**el subibaja**	[soo-bee-bah-hah]
rope	**la cuerda**	[coo-er-dah]			
row	**reñir**	[reh-neer]	September	**septiembre**	[sep-tee-em-breh]
rowing	**el remo**	[reh-moh]			
rug	**la alfombrilla**	[al-fom-bree-ya]	seven	**siete**	[see-eh-teh]
			seventeen	**diecisiete**	[dee-eh-see-see-eh-teh]
rugby	**el rugby**	[roog-bee]	shampoo	**el champú**	[cham-poo]
ruler	**la regla**	[reh-glah]	shape	**la forma**	[for-mah]
run	**correr**	[coh-rrer]	shark	**el tiburón**	[tee-boo-ron]
s			shed	**el galpón**	[gal-pohn]
sack	**el saco**	[sa-coh]	sheep	**la oveja**	[oh-veh-ha]
sad	**triste**	[trees-teh]	sheepdog	**el perro pastor**	[peh-rro-pas-tor]
saddle	**la silla de montar**	[see-eea theh mon-tar]			
			sheet	**la sábana**	[sah-bah-na]
sail	**la vela**	[veh-lah]	shelf	**el estante**	[es-tan-teh]
sailboat	**el velero**	[veh-leh-ro]	shell	**el caracol**	[cah-rah-cohl]
sailing	**la vela**	[veh-lah]	shirt	**la camisa**	[ca-mee-sah]
sailor	**el marinero**	[mah-ree-neh-roh]	shoe	**el zapato**	[sa-pa-to]
			shopping cart	**el carrito**	[ca-rree-toh]
salad	**la ensalada**	[ehn-sa-la-da]	short	**corto**	[cor-toh]
salt	**la sal**	[sahl]	shorts	**los pantalones cortos**	[pan-ta-lo-ness cor-toss]
sand	**la arena**	[ah-reh-nah]			
sandal	**la sandalia**	[san-da-lee-a]	shoulder	**el hombro**	[om-broh]
sandbox	**la caja de arena**	[cah-ha theh ah-reh-nah]	shovel	**la pala**	[pah-lah]
			shower	**la ducha**	[doo-cha]
sandcastle	**el castillo de arena**	[cas-tee-eeo theh ah-reh-nah]	shrimp	**el camarón**	[cah-mah-rohn]
			sidewalk	**la vereda**	[veh-reh-thah]
			sing	**cantar**	[can-tar]
sandwich	**el sándwich**	[sandwich]	singer	**el/la cantante**	[cahn-tahn-teh]
Saturday	**sábado**	[sah-bah-doh]	sink	**el fregadero**	[fre-ga-the-ro]
saucepan	**la olla**	[o-eeah]	sister	**la hermana**	[air-mah-nah]
saucer	**el platillo**	[pla-tee-eeoh]	sit	**sentarse**	[sen-tar-seh]
sausage	**la salchicha**	[sal-chee-cha]	six	**seis**	[seh-ees]
scales	**la balanza**	[bah-lahn-ssa]	sixteen	**dieciséis**	[dee-eh-see-seh-ees]
scarecrow	**el espantapájaros**	[es-pan-tah-pah-ha-rohs]			
			skateboard	**el monopatín**	[mo-no-pah-teen]
scarf	**la bufanda**	[boo-fan-da]	skiing	**el esquí**	[es-kee]
school	**el colegio**	[co-leh-hee-oh]	skip	**saltar a la comba**	[sal-tar ah lah com-ba]
scientist (man)	**el científico**	[see-en-tee-fee-co]			
			skirt	**la pollera**	[poh-ee-eh-rah]
scientist (woman)	**la científica**	[see-en-tee-fee-ca]	sky	**el cielo**	[see-el-oh]
			sleep	**dormir**	[dor-meer]
scissors	**las tijeras**	[tee-heh-ras]	sleeping bag	**la bolsa de dormir**	[bol-sah theh dor-meer]
scooter	**el patinete**	[pa-tee-neh-teh]			
sea	**el mar**	[mar]			
seagull	**la gaviota**	[gah-vee-oh-ta]	slide	**el tobogán**	[toh-boh-gun]
seal	**la foca**	[foh-ca]			

English	Spanish	Pronunciation	English	Spanish	Pronunciation
sling	**el cabestrillo**	[ca-behs-tree-ee-oh]	straw	**la paja**	[pah-ha]
slipper	**la pantufla**	[pahn-too-flah]	strawberry	**la frutilla**	[froo-tee-eea]
slow	**lento**	[len-toh]	street	**la calle**	[cah-ee-eh]
small	**pequeño**	[peh-keh-nee-oh]	stretcher	**la camilla**	[cah-mee-ah]
smile	**sonreír**	[son-reh-eer]	string	**la cuerda**	[coo-ehr-thah]
smoke	**el humo**	[oo-moh]	stroller	**el cochecito**	[co-cheh-see-toh]
snail	**el caracol**	[ca-ra-cohl]	sucker	**la piruleta**	[pee-roo-leh-ta]
snake	**la serpiente**	[ser-pee-ehn-teh]	sugar	**el azúcar**	[ah-thoo-car]
sneaker	**la zapatilla de deporte**	[sa-pa-tee-eea theh theh-por-teh]	suitcase	**la valija**	[vah-lee-ha]
			summer	**el verano**	[veh-rah-noh]
			sun	**el sol**	[sohl]
snorkel	**el tubo de respiración**	[too-boh theh res-pee-rah-see-on]	sun cream	**el protector solar**	[proh-tec-tor soh-lar]
			Sunday	**domingo**	[doh-meen-goh]
snow	**la nieve**	[nee-eh-veh]	sunglasses	**los lentes de sol**	[len-tes theh sol]
snow boarding	**el snow boarding**	[snow boarding]	sunhat	**la pamela**	[pah-meh-lah]
soap	**el jabón**	[ha-bon]	sunshade	**la sombrilla**	[som-bree-eeah]
soccer	**el fútbol**	[football]			
sock	**la media**	[me-dee-a]	supermarket	**el supermercado**	[soo-per-mer-car-thoh]
soft	**suave**	[soo-ah-veh]	surf board	**la tabla de surf**	[tah-bla theh soorf]
soil	**la tierra**	[tee-eh-rra]			
soldier	**el soldado**	[sol-tha-tho]	surfing	**el surf**	[soorf]
soup	**la sopa**	[soh-pah]	swan	**el cisne**	[sees-neh]
spaghetti	**los espaguetis**	[es-pah-geh-tees]	sweater	**el pulóver**	[pool-oh-ver]
			swim	**nadar**	[nah-dar]
sparkler	**la bengala**	[ben-gah-la]	swimming	**la natación**	[na-ta-see-on]
sponge	**la esponja**	[es-pon-ha]	swimming pool	**la piscina**	[pees-see-nah]
spoon	**la cuchara**	[coo-cha-rah]	swimsuit	**la malla**	[mah-ee-ah]
sport	**el deporte**	[theh-por-teh]	swing	**el columpio**	[co-loo-pee-oh]
spring	**la primavera**	[pree-mah-veh-ra]	switch	**el interruptor**	[een-ter-roop-tor]
sprinkler	**el aspersor**	[as-per-sor]	**t**		
square	**el cuadrado**	[coo-ah-dra-doh]	table	**la mesa**	[meh-sa]
squash	**el squash**	[squash]	tablecloth	**el mantel**	[man-tel]
stable	**la cuadra**	[coo-ah-dra]	table tennis	**el ping-pong**	[ping-pong]
stairs	**la escalera**	[es-cah-leh-ra]	tadpole	**el renacuajo**	[reh-nah-coo-ah-ho]
stand	**estar de pie**	[es-tar theh pee-eh]	tank	**el acuario**	[a-coo-ah-rio]
stand in line	**hacer cola**	[ah-ser coh-la]	tanker	**el camión cisterna**	[cah-mee-on sees-ter-na]
star	**la estrella**	[es-tre-eea]			
starfish	**la estrella de mar**	[es-tre-eea theh mar]	tea	**el té**	[teh]
			teacher	**la profesora**	[pro-feh-soh-rah]
steak	**el bistec**	[bee-stec]			
stethoscope	**el estetoscopio**	[es-teh-tos-coh-pee-oh]	teapot	**la tetera**	[teh-teh-rah]
			teddy bear	**el osito de peluche**	[oh-see-to theh peh-loo-che]
sticking plaster	**la curita**	[coo-ree-tah]			
stool	**el taburete**	[ta-boo-reh-teh]	teeth	**los dientes**	[dee-en-tes]
store	**la tienda**	[tee-en-da]	telephone	**el teléfono**	[te-le-fo-no]
stove	**la cocina**	[coh-see-nah]	television	**el televisor**	[te-le-vee-sor]
straw (drinking)	**la pajita**	[pa-hee-ta]	television host (man)	**el locutor de televisión**	[loh-coo-tor theh teh-leh-vee-see-on]

television host (woman)	**la locutora de televisión**	[loh-coo-tor-a theh teh-leh-vee-see-on]	
ten	**diez**	[dee-es]	
tennis	**el tenis**	[tenis]	
tent	**la carpa**	[car-pah]	
thermometer	**el termómetro**	[ter-moh-meh-tro]	
thin	**fino**	[fee-noh]	
thirteen	**trece**	[tre-ceh]	
three	**tres**	[tress]	
thumb	**el pulgar**	[pool-gar]	
thumb tack	**la chinche**	[cheen-che]	
Thursday	**jueves**	[hoo-eh-vess]	
ticket	**el boleto**	[boh-leh-to]	
ticket booth	**la boletería**	[bo-leh-teh-ree-ah]	
tiger	**el tigre**	[tee-greh]	
tightrope walker	**el/la equilibrista**	[eh-kee-lee-brees-tah]	
tissue	**el pañuelo de papel**	[pah-noo-eh-lo theh pah-pehl]	
toad	**el sapo**	[sah-poh]	
toast	**la tostada**	[tos-tah-dah]	
toaster	**la tostadora**	[tos-ta-thoh-rah]	
toboggan	**el tobogán**	[toh-boh-gahn]	
toe	**el dedo de pie**	[deh-doh del pee-eh]	
toilet	**el inodoro**	[ee-noh-doh-roh]	
tomato	**el tomate**	[toh-mah-teh]	
tongue	**la lengua**	[lehn-goo-ah]	
tool set	**el juego de herramientas**	[hoo-eh-go theh heh-rra-mee ehn-tas]	
toothbrush	**el cepillo de dientes**	[seh-pee-eeo theh dee-ehn-tes]	
toothpaste	**la pasta de dientes**	[pasta theh dee-ehn-tes]	
top hat	**el sombrero de copa**	[som-breh-roh theh coh-pah]	
toucan	**el tucán**	[too-can]	
towel	**la toalla**	[toh-ah-ee-ah]	
towel rail	**el toallero**	[toh-ah-ee-eh-ro]	
tow truck	**la grúa**	[groo-ah]	
toy	**el juguete**	[hoo-geh-teh]	
toybox	**la caja de juguetes**	[ca-ha theh hoo-geh-tess]	
toy store	**la tienda de juguetes**	[tee-en-da theh hoo-geh-tess]	
track	**el carril**	[cah-rreel]	
tractor	**el tractor**	[trac-tor]	
traffic cone	**el cono**	[cono]	

trailer	**la caravana**	[cah-rah-vah-nah]	
train	**el tren**	[tren]	
train engineer	**el maquinista**	[mah-kee-nees-tah]	
trampoline	**la cama elástica**	[cah-mah eh-las-tee-cah]	
trash can	**el tarro de basura**	[tah-rroh theh ba-soo-rah]	
tray	**la bandeja**	[bahn-deh-ha]	
tree	**el árbol**	[ahr-bol]	
triangle	**el triángulo**	[tree-an-goo-lo]	
tricycle	**el triciclo**	[tree-see-clo]	
trough	**el abrevadero**	[ah-breh-va-deh-ro]	
trowel	**el desplantador**	[des-plan-ta-thor]	
truck	**el camión**	[ca-mee-on]	
truck driver	**el camionero**	[cah-mee-o-neh-roh]	
trumpet	**la trompeta**	[trom-peh-tah]	
trunk (car)	**el baúl**	[bah-ool]	
T-shirt	**la camiseta de manga corta**	[ca-mee-seh-ta theh man-gah cor-tah]	
Tuesday	**martes**	[mar-tess]	
tummy	**la barriga**	[bar-ree-gah]	
tunnel	**el túnel**	[toonail]	
turkey	**el pavo**	[pah-vo]	
turtle	**la tortuga**	[tor-too-gah]	
tweezers	**las pinzas**	[peen-sahs]	
twelve	**doce**	[doh-seh]	
twenty	**veinte**	[veh-een-teh]	
twig	**la ramita**	[tah-mee-ta]	
two	**dos**	[doss]	
u/v/w			
umbrella	**el paraguas**	[pa-ra-goo-as]	
uncle	**el tío**	[tee-oh]	
under	**debajo**	[deh-ba-ho]	
underpants	**los calzoncillos**	[cal-sohn-see-eeos]	
undershirt	**la camiseta**	[ca-mee-seh-ta]	
up	**arriba**	[ah-ree-bah]	
vacuum cleaner	**la aspiradora**	[as-pee-ra-thoh-rah]	
van	**la furgoneta**	[foor-goh-neh-ta]	
vase	**el jarrón**	[ha-rron]	
vegetable	**las legumbres**	[leg-oom-bres]	

vest	**el chaleco**	[cha-leh-coh]	wetsuit	**el traje isotérmico**	[tra-heh ee-so-ter-mee-co]
video recorder	**el vídeo**	[vee-de-oh]			
violin	**el violín**	[vee-oh-leen]	whale	**la ballena**	[bah-ee-eh-nah]
wading pool	**la piscina para niños**	[pee-see-nah para ni-nee-os]	wheat	**el trigo**	[tree-goh]
			wheel	**la rueda**	[roo-eh-da]
wagon	**el remolque**	[reh-mol-keh]	wheelbarrow	**la carretilla**	[ca-rre-tee-eeah]
waist	**la cintura**	[seen-too-rah]	wheelchair	**la silla de ruedas**	[see-ah theh roo-eh-dahs]
waiter	**el camarero**	[cah-mah-reh-roh]	whistle	**el silbato**	[seel-bah-toh]
waitress	**la camarera**	[cah-mah-reh-rah]	white	**blanco**	[blahn-co]
walk	**caminar**	[cah-mee-nar]	whiteboard	**la pizarra blanca**	[pee-sah-rra blan-cah]
walking frame	**el andador**	[an-thah-thor]	wind	**el viento**	[vee-ehn-toh]
			windmill	**el molino de viento**	[moh-lee-no theh vee-ehn-toh]
walking stick	**el bastón**	[bas-tohn]			
wall	**el muro**	[moo-roh]	window	**la ventana**	[vehn-ta-na]
wardrobe	**el armario**	[ar-mah-ree-oh]	window cleaner	**el limpiacristales**	[leem-peh-ah-crees-tah-less]
wash	**lavar**	[lah-var]			
washbasin	**el lavabo**	[lah-vah-boh]	windsurfing	**el windsurf**	[windsoorf]
washcloth	**la toallita**	[toh-ah-ee-ta]	wing	**el ala**	[ah-la]
washing machine	**la lavadora**	[la-va-thoh-rah]	winter	**el invierno**	[een-vee-er-no]
wasp	**la avispa**	[a-vees-pa]	witch	**la bruja**	[broo-ha]
wastebasket	**la papelera**	[pah-peh-leh-rah]	wizard	**el mago**	[mah-go]
			wolf	**el lobo**	[loh-boh]
watch	**el reloj**	[reh-loh]	woman	**la mujer**	[moo-herr]
water	**el agua**	[ah-goo-ah]	woodsman	**el leñador**	[leh-nee-ah-thor]
waterfall	**la catarata**	[cah-tah-rah-tah]			
			workbook	**el cuaderno**	[coo-ah-der-noh]
watering can	**la regadera**	[re-ga-theh-ra]	worm	**el gusano**	[goo-sah-noh]
watermelon	**la sandía**	[san-dee-a]	wrapping paper	**el papel de regalo**	[pah-pel theh reh-gah-loh]
water-skiing	**el esquí acuático**	[es-kee ah-koo-ah-tee-coh]			
			write	**escribir**	[es-cree-beer]
waterslide	**el tobogán de agua**	[toh-boh-gahn theh ah-goo-ah]			

x/y/z

X-ray	**la radiografía**	[rah-dee-oh-gra-phee-a]
xylophone	**el xilófono**	[zee-loh-pho-no]
yard	**el jardín**	[har-deen]
year	**el año**	[an-nee-o]
yellow	**amarillo**	[ah-mah-ree-eeoh]
zebra	**la cebra**	[seh-brah]

wave	**la ola**	[oh-la]
weather	**el tiempo**	[tee-em-poh]
Wednesday	**miércoles**	[mee-er-coh-less]
week	**la semana**	[se-man-eea]
weight lifting	**el levantamiento de pesas**	[leh-van-ta-mee-ento theh peh-sas]
wet	**mojado**	[moh-ha-doh]